# ARRIBA EN EL ÁRBOL

Hice este libro cuando la edición de libros para
niños en Canadá estaba dando sus primeros
pasos. Sólo podíamos utilizar dos colores, porque
tres hubieran encarecido la impresión en exceso.
De ahí el azul, el rojo y el curioso color pardo
que resulta de la combinación de los otros dos.
Tenía una cierta experiencia en el diseño e impresión de carteles —en mis tiempos de universidad,
a finales de los años cincuenta, monté un peque-
ño negocio de carteles serigrafiados que llevaba
desde una mesa de ping-pong— de modo que
sabía cómo rotular. Los dibujos eran en blanco
y negro, a plumilla y tinta, y luego yo indicaba
al editor dónde debía aplicarse cada uno de los
dos colores.
Las técnicas eran primitivas —entonces la informá-
tica no estaba muy desarrollada— y los resultados
también parecen algo primitivos, pero sigo sintien-
do un cariño muy grande por este libro.

Margaret Atwood, 2005

# ARRIBA EN EL ÁRBOL
## Margaret Atwood

Traducción de Miguel Azaola

Ediciones Ekaré

Para Jess

Traducción de Miguel Azaola

Primera edición, 2009

Edif. Banco del Libro, Av. Luis Roche, Altamira Sur, Caracas 1060, Venezuela
C / Sant Agustí 6, bajos, 08012, Barcelona, España

www.ekare.com

Vivimos arriba, en el árbol;
en lo ALTO del árbol más ALTO

Al sol,
lo pasamos genial.

¡Pero cuando llueve es fatal!
Y eso que en lo alto del árbol
tenemos paraguas...
¡Menos mal!

Nos gusta un montón nuestro árbol;
es nuestro columpio ideal
y siempre está a mano,
tanto en otoño como en verano.

El resto del año hacemos piruetas,
damos volteretas
y brincos y saltos,
en lo alto del árbol más alto.

Aquí arriba vivimos a gusto,
sin miedo de nada...
¡Aunque a veces el viento
se enfada y sopla en el árbol!
¡QUÉ SUSTO!

¡Agárrate fuerte a las ramas,
que *s o p l a* con ganas!
¡No vayas a pestañear
ni se te ocurra estornudar
si no quieres echar a volar!

¡ALARMA, ALARMA!
¿Qué pasa ahí fuera?
¡terror y pavor!

¡Es nuestra escalera!
¡La quitan del árbol!
¡QUÉ HORROR!

¿Y cómo BAJAMOS del árbol?
Y ahora, ¿cómo llegamos al suelo?
¿Tendremos que estar para siempre
arriba, en el árbol más alto,
colgados del cielo?

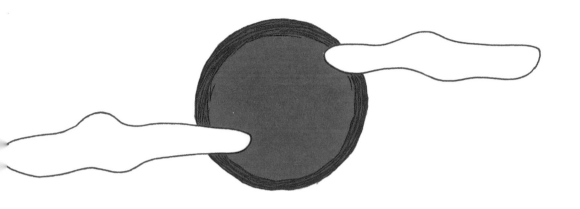

¡Ésta sí que es buena!
¡Qué miedo! ¡Qué pena!
No hay sitio al que ir,
ni con quien hablar,
ni nada que hacer o mirar...
¡No llega corriente
ni hay agua caliente
en lo alto del árbol más alto!

¡Qué desgracia!
¡Qué suerte tan cruel!
No queda ni té ni pastel...
¡Ya sólo podremos comer,
chupar y morder
las HOJAS del árbol!

¡ S O C O R R O !
¡Queremos bajar! Pero,
¿CÓMO llegamos al suelo?
¿Ya S I E M P R E
tendremos que estar subidos
a este HORRIBLE ÁRBOL,
colgados del cielo?

¡QUÉ SUERTE!
¡UN AMIGO
EN EL ÁRBOL!

# ¡¡POR FIN LIBRES!!
# ¡¡ESTAMOS SALVADOS!!

¡NO IMPORTA
que no haya escalera
si te ayuda un amigo de veras!

Nos han rescatado en un vuelo,
ya estamos a salvo en el suelo...
¡Pero ahora queremos volver
a lo alto de nuestro viejo árbol!

Conque hemos juntado
un montón de sillas
y mesas ahí fuera
y vamos hacer,
de un tirón, una escalera!
a nuestra manera.

¡Y así, colorín colorado,
podremos vivir sin cuidado,
felices los tres,
en lo alto del árbol más alto!

Fin